DWDL-MI-DO

Mererid Hopwood
a Nan Elis

Darluniau Kay Widdowson

Argraffiad Cyntaf — Tachwedd 2009

ISBN 978 0 86074 258 6

Cenir y caneuon ar y CD gan Gwenan Gibbard

Mae'r cyhoeddwyr yn cydnabod cefnogaeth ariannol Cyngor Llyfrau Cymru.

Cyhoeddwyd gan
Wasg Gwynedd, Pwllheli

Cynnwys

1 · Neidio, Neidio

Neidio, neidio gyda'r nodau;
mynd, mynd, mynd a phawb yn ffrindiau.

D G D Em A7 D
Neid - io, neid - io gy - da'r no - dau; mynd, mynd, mynd a phawb yn ffrind - iau.

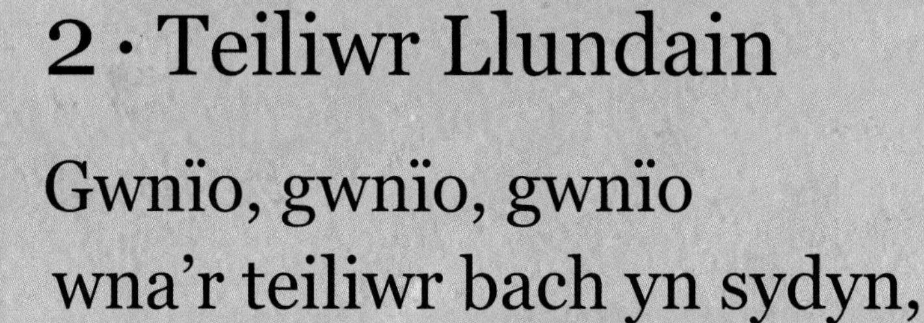

2 · Teiliwr Llundain

Gwnïo, gwnïo, gwnïo
wna'r teiliwr bach yn sydyn,
gwnïo sane gwyrdd a glas
i geiliog sionc y rhedyn.

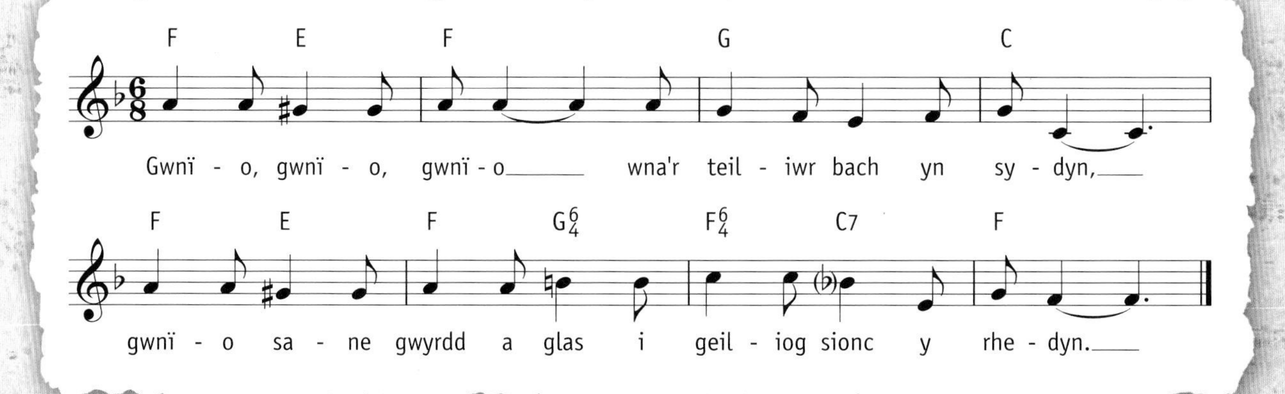

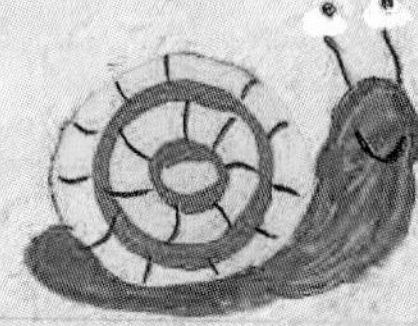

3 · Tŵt! Tŵt! Tŵt!

‘Tŵt! Tŵt! Tŵt!’ meddai’r lorri gas.
‘Pam? Pam? Pam?’ meddai’r car bach glas.
‘Tŵt! Tŵt! Tŵt!’ meddai’r lorri’n groch,
ond meddai’r car glas: ‘Mae’r golau’n goch!’

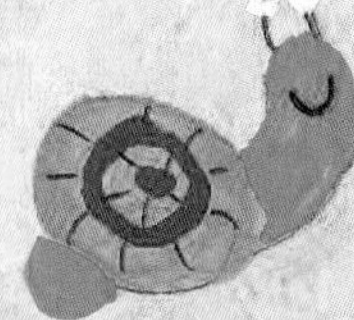

Dm
A7
'Twt! Twt! Twt!' me-ddai'r lor - ri gas. 'Pam? Pam? Pam?' me-ddai'r car bach glas.
Dm
Gm
A
Dm
'Twt! Twt! Twt!' me-ddai'r lor-ri'n groch, ond me-ddai'r car glas: 'Mae'r go-lau'n goch!'

4 · Mewn Cwrwgl

Llithro ar fwswgl
dan Bont y Mwnwgl
i mewn i gwrwgl
yn bendramwnwgl –
SBLASH!

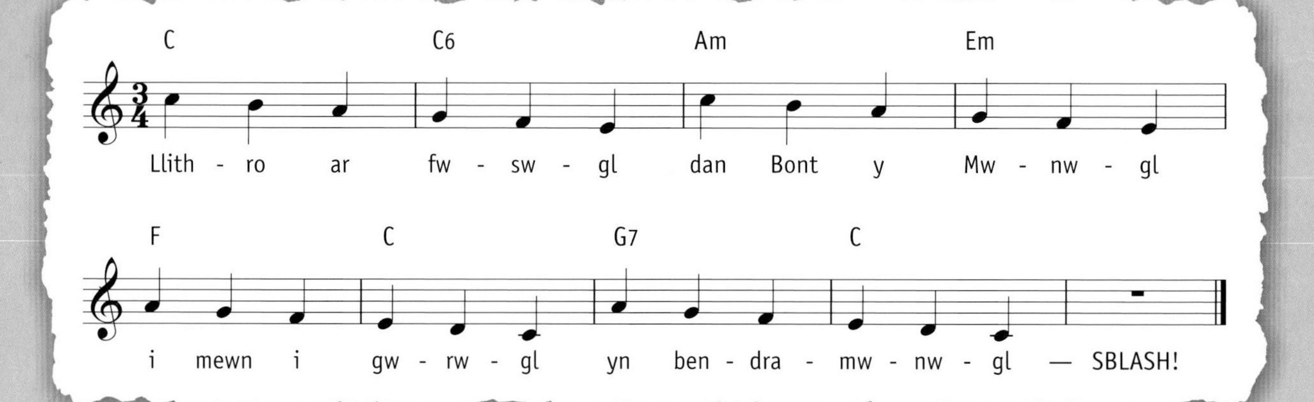

5 · Dwdl-mi-di

Dwdl-mi-di,
hwyl, sbort a sbri;
dwdl-mi-do,
chwerthin bob tro.

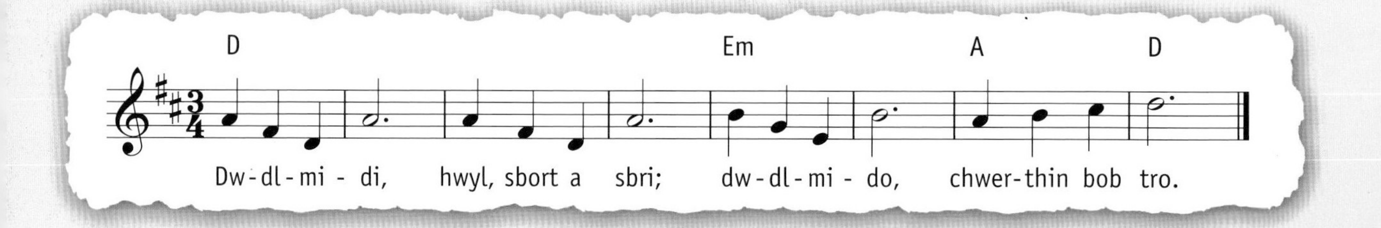
D
Em
A
D
Dw - dl - mi - di, hwyl, sbort a sbri; dw - dl - mi - do, chwer-thin bob tro.

6 · Y Drych

Fe wela i â'm llygad bach i
rywun sy'n debyg ofnadwy i mi.

7 · Pilipala

‘Tyrd yma, bilipala,
tyrd yma, iâr fach smala;
dwed, a ga’ i fod yn ffrind?’
Pilipala . . . wedi mynd.

G
Em
'Tyrd y - ma, bi - li - pa - la, tyrd y - ma, iâr fach sma - la;
D D7 G6 G C D D7 G
dwed, a ga' i fod yn ffrind?' Pi - li - pa - la . . . we - di mynd.

8 · Llygad y Dydd

'Hei! flodyn bychan,
paid cau dy lygad!
Mae'n werth i ti wenu
ar arian y lleuad.'

'Shhh! blentyn bychan,
shhh! cer i gysgu!
Mae'n well i ti aros
am aur bore fory.'

F Gm C F Dm G7 C
'Hei! flo-dyn by-chan, paid cau dy ly-gad! Mae'n werth i ti we-nu ar ar-ian y lleu-ad.'
D7 Gm A Dm G7 F6/4 Gm7 C7 F
'Shhh! blen-tyn by-chan, shhh! cer i gys-gu! Mae'n well i ti a-ros am aur bo-re fo-ry.'

9 · Y Crancod a'u Criw

Mae miri mawr
ym merw'r môr:
y crancod a'u criw
sy'n canu mewn côr.

G Em Am D G C D G

Mae mi - ri mawr ym me - rw'r môr: y cran-cod a'u criw sy'n ca - nu mewn côr.

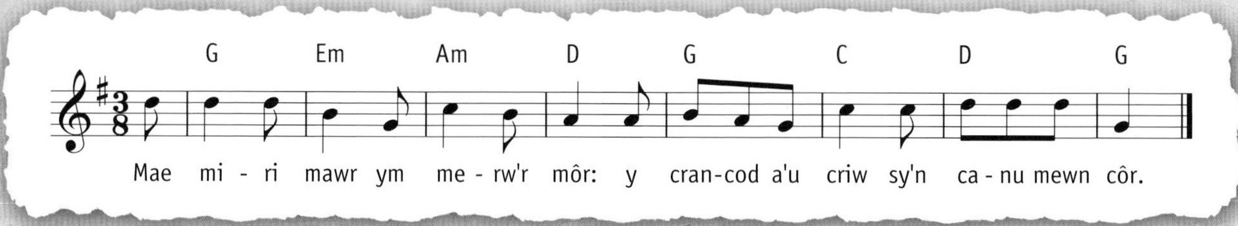

10 · Jiráff

Jiráff yn byw mewn twll yn ’wal?
Jiráff heb wddw hir?
Nid jiráff wyt ti o gwbwl
ond llygoden fach, yn wir.

C Am D7 G
Ji - ráff yn byw mewn twll yn 'wal? Ji - ráff heb w - ddw hir? Nid ji -
C6 F C Dm7 G C
ráff wyt ti o gw - bwl ond lly - go - den fach, yn wir.

11 · Swigen Sebon

Swigen sebon
yn sgleinio i gyd;
swigen sebon –
'POP!' – a dim byd.

12 · Hedfan

Sefyll yn hollol lonydd,
fy mreichiau fel adenydd,
chwifio a chwifio a chwifio fy nwylo . . .
cyn syrthio'n swp eto!

F
Am
Se - fyll yn ho - llol lo - nydd, fy mreich - iau fel a - de - nydd,
G
C7
F
chwif-io a chwif-io a chwif-io fy nwy - lo . . . cyn syrth-io'n swp e - to!

13 · Dwdl-mi-dw

Dwdl-mi-dw,
un cangarŵ;
dwdl-mi-dew,
AAA! – dacw'r llew!

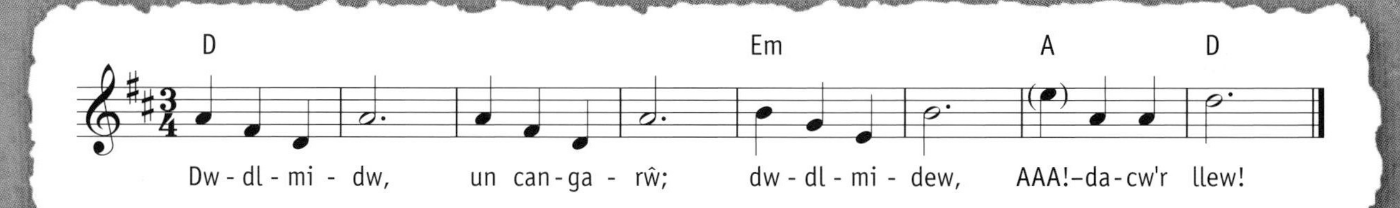

zzzzz

14 · Chwyrnu

Chwyrnu, chwyrnu,
chwyrnu drwy'r tŷ:
rheinoseros sy'n cysgu
yng nghadair Mam-gu.

15 · Chwilod

Cae o wair yn llawn rhyfeddod;
gwair wedi mynd – cae llawn chwilod!

C Dm7 G7 A7 Dm G C
Cae o wair yn llawn rhy - fe - ddod; gwair we - di mynd — cae llawn chwi - lod!

16 · Hedyn Bach

Hedyn bach yn cysgu, cysgu,
blodyn bach yn tyfu, tyfu,
gwynt yn dod a chwythu, chwythu,
chwythu'r blodyn bach o'i wely.

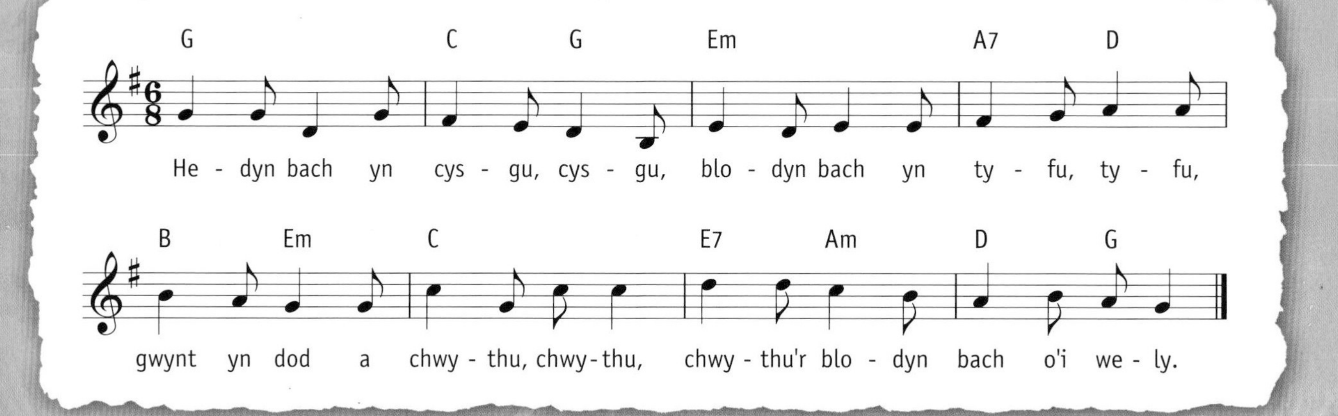

17 · Dawns y Dillad

Wrr . . . wrr . . .
peiriant yn dawnsio;
wrr . . . wrr . . .
dillad mewn disgo.

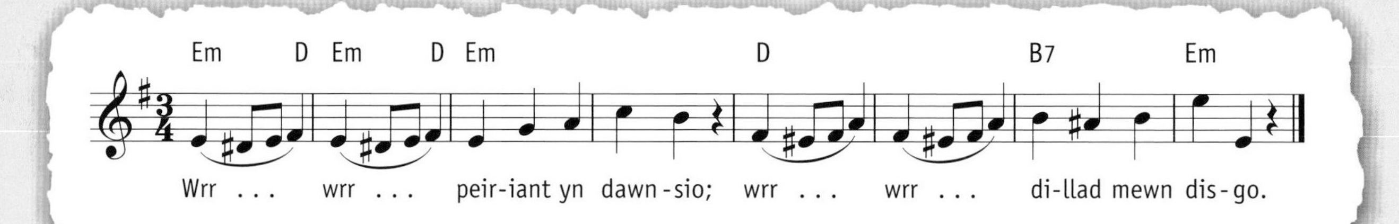

18 · Sosbenni

Sosban yn ddrwm,
bwm-ba-di-bwm;
sosban ar lawr,
sŵn mawr, mawr,
MAWR!

D
Em
A7
D
Sos-ban yn ddrwm, bwm-ba-di-bwm; sos-ban ar lawr, sŵn mawr, mawr, MAWR!

19 · Winc

Rwy'n cau un llygad
i wincio'n chwim;
pe bawn i'n cau'r ddwy,
ni welwn i ddim.

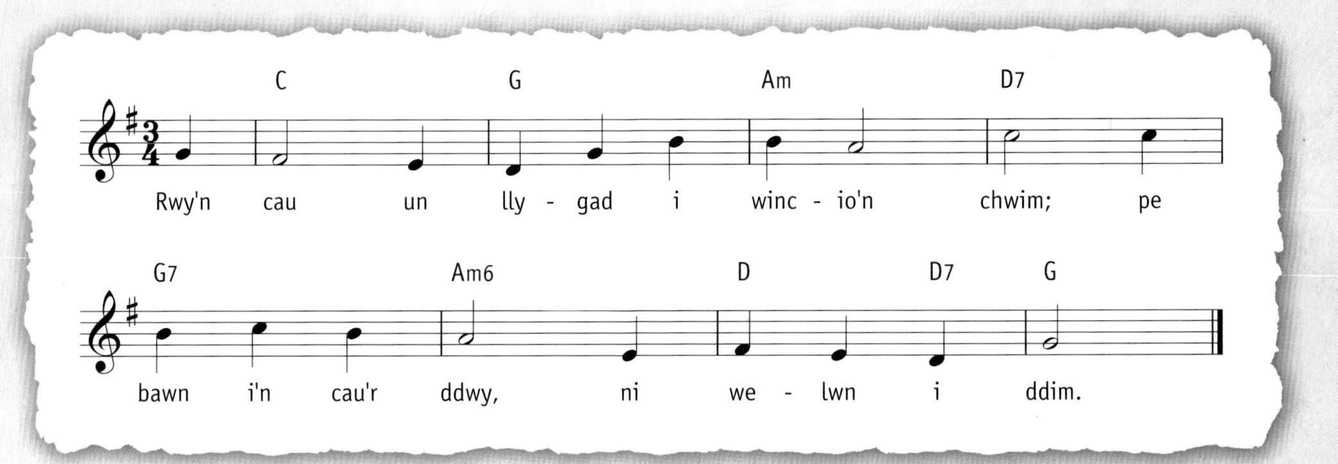

C G Am D7
Rwy'n cau un lly - gad i winc - io'n chwim; pe
G7 Am6 D D7 G
bawn i'n cau'r ddwy, ni we - lwn i ddim.

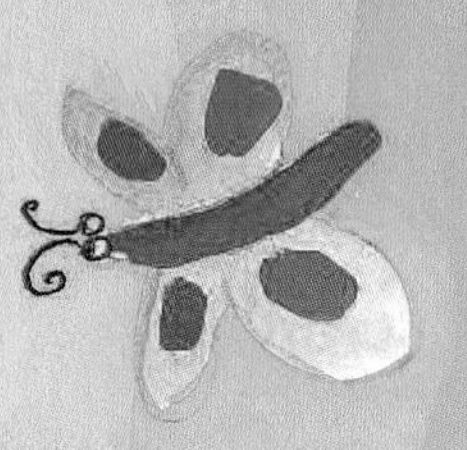

20 · Tyllu

Tyllu, tyllu nes gweld mwydyn –
stopio tyllu wnes i wedyn!

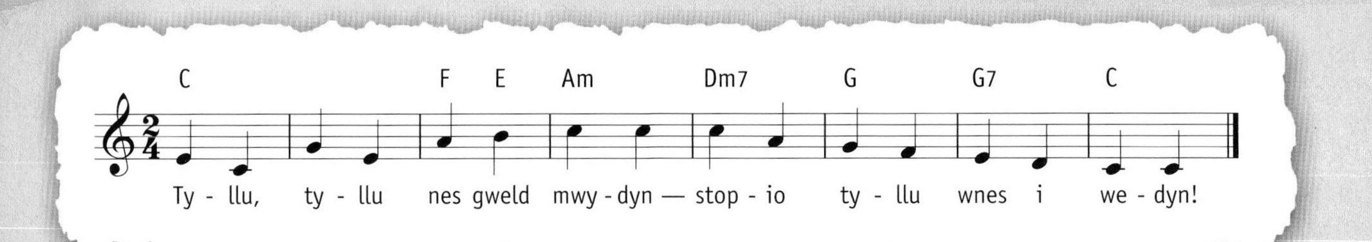

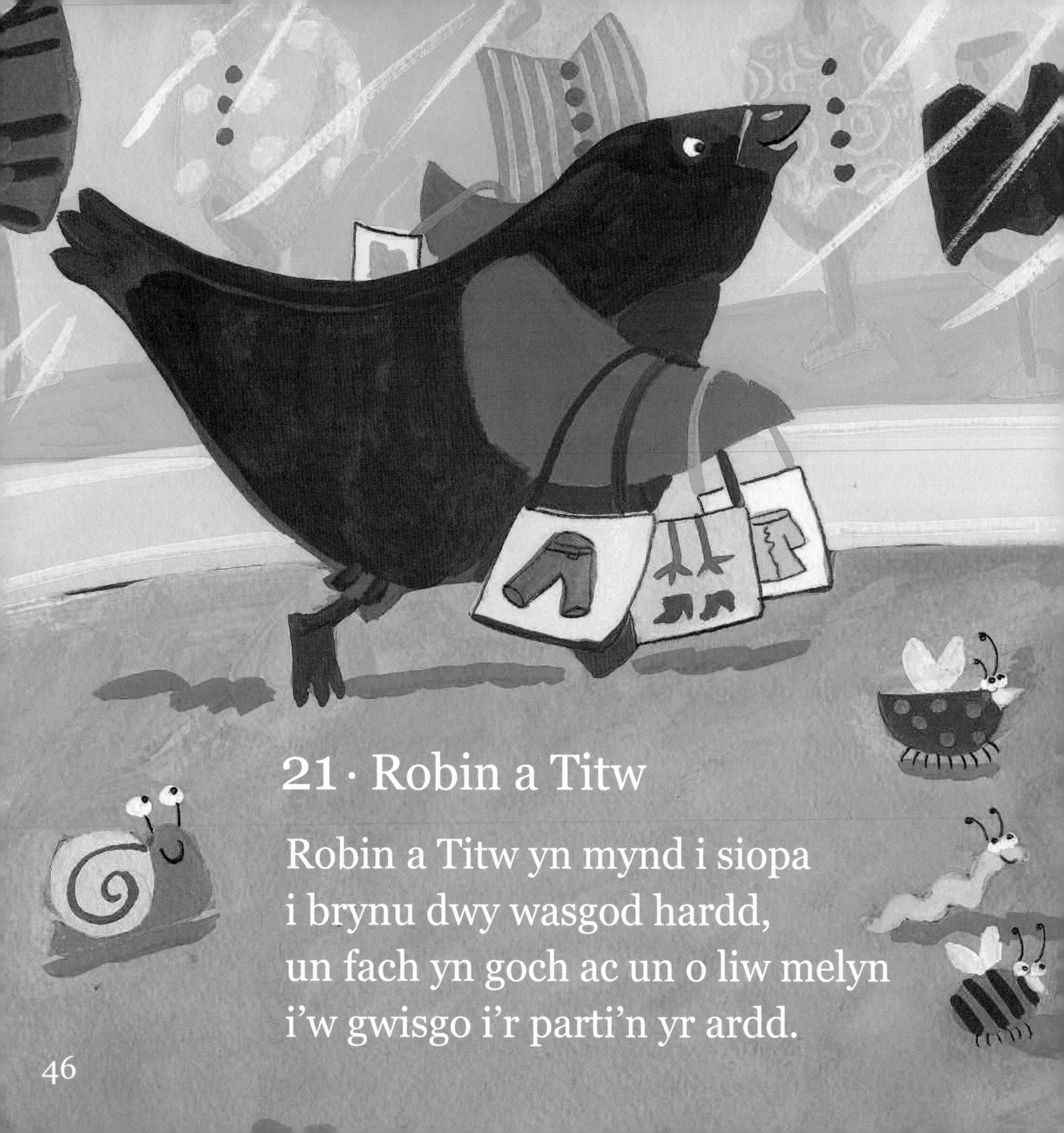

21 · Robin a Titw

Robin a Titw yn mynd i siopa
i brynu dwy wasgod hardd,
un fach yn goch ac un o liw melyn
i'w gwisgo i'r parti'n yr ardd.

G D
Ro - bin a Ti - tw yn mynd i sio - pa i bry - nu dwy was - god hardd,
G G7 C Am7 D G
un fach yn goch ac un o liw me - lyn i'w gwis - go i'r par - ti'n yr ardd.

22 · Pot Jam

Ble? Pryd? Sut? Pam?
Pwy fu â’i fysedd yn y pot jam?

C Am Dm G C6 D7 G7 C

Ble? Pryd? Sut? Pam? Pwy fu â'i fy - sedd yn y pot jam?